KB171787

난 당신들의 밑 바닥을 사랑한다.

김수현 시집

난 당신들의 밑 바닥을 사랑한다.

발　행 | 2024년 1월 24일
저　자 | 김수현
펴낸이 | 한건희
펴낸곳 | 주식회사 부크크
출판사등록 | 2014.07.15.(제2014-16호)
주　소 | 서울특별시 금천구 가산디지털1로 119 SK트윈타워 A동 305호
전　화 | 1670-8316
이메일 | info@bookk.co.kr

ISBN | 979-11-410-6853-0

www.bookk.co.kr

머리말

스물 여덟에 내가 꼭 하고 싶었던 버킷 리스트 중

하나를 이제야 이루게 되었습니다.

내가 사랑한 나를 사랑한

모든 이들에게 이 책을 바칩니다.

24년 겨울 김수현

22년 1월

차곡차곡 조금씩 모은 돈으로 공기 청정기와 좋은 청소기를 구입했고 삼일절이자 사랑하는 나의 동생의 생일을 진심으로 축하해 줬어요. 몸무게가 세 자리였던 나는 열심히 운동하고 식단 관리를 꾸준하게 하면서 목표까지 약 10키로 밖에 남지 않았고요. 남이 보았을 땐 여전히 빡빡이로 보이겠지만 군인 머리까진 자랐고 새로운 취미를 가져보고 싶어서 뭘 배울지 고민하고 있습니다. 또, 소중한 인연으로 평소 좋아하던 가수의 사인을 받게 되었으며 힘들 때마다 꺼내보았던 책들이 점점 읽히질 않아요. 혹시 내가 우리의 사랑을 너무 미화시켰던 건 아닐까요. 나에 대한 칭찬을 아끼지 않으시는 선생님께 감사하면서 어딘가 불편합니다. 나 자신이 적응이 되질 않아서요.

무언가 다시 내게 오겠죠.

생각머리

눈이 좀 떠진 것 같냔 말에 아무 대답하지 못했다

기분 나쁘게 비추는 햇살이 나를 감쌀 때마다

기형 번데기의 향

가지런히 놓인 술병과 그러지 못한 테이블은

우리 애가요 혼자 멈춰서 선 그저 바라보기만

나태함과 게으름과 과거의 발전과 미래는

꾸준한 수치심은 땀을 흘리게 만든다

한 달째 끼고 있는 원데이 렌즈는

J에게

가기 전에 한번 안아주지 못하고

보낸 것이 속이 쓰리다.

너는 항상 말론 괜찮다 했지만

아니란 걸 다 알고 있으면서도 그러려니

넘어갔던 것이 후회스럽다.

잘 해낼 수 있다고 함부로 말하기엔

우린 서로 너무 많이 닮아있기에.

마른세수

내 친구 S는 유산을 했다.

내가 아끼는 T는 배에다 자해를 했고,

D는 나에게 사과를 했다.

또 다른 S는 매일같이 울었고

J는 여전히 혼자 속앓이 중이었으며,

나는 이 가운데에서 무슨 감정을

느끼는지조차 생각하기 싫어졌다.

돌아간다면

돌아간다면

지난날에 못 봤던 영화들을 몰아봐야지.

하루쯤은 먹고 싶은 것들을

다 시켜서 배 터질 때까지 먹어봐야지.

돌아간다면 여태 얘기하고 싶었던 것들을

모두 들려줘야지.

다시 돌아간다면 보고 싶었던 당신에게

오랜만이라며 어색한 안부 문자나 한번 보내봐야지.

#5B

이제야 아름답게 부서지는 파도가 보여.

바람은 제법 차갑지만 햇살이 따스한 것도

조금씩 느낄 수 있어.

바다 짠 내를 맡으며 모래사장을 걸을 때마다

마음이 가벼워지니.

파도가 발자국을 지워줄 때까지 당신을 사랑해.

혼인신고

작년에 혼인 신고 하면서

“야 너도 나처럼 빨리 결혼해라.

우리 같이 불안정한 사람들은 차라리 그게 나아.”

라는 말을 연신 해댔으면서 요즘은 왜 그렇게

죽는소리를 내냐 이 웃긴 놈아. 힘드냐?

여름 하나

나에게 여름을 선물해 주세요.

시원한 장마와 아름다운 하늘과 주황빛

노을을요.

나와 내가 사랑하는 블루의 마음도

여름이 되게요.

메먹는울음

한번 버텨도 보고 이겨도 내봤다고

다시 기대지 않으려 아득바득 애쓰는 게

보이니 울음을 계속 먹고 이게

어른인 거지 하며 자기 위로를 하는데

그럴 때마다 내가 너무

터

막상 그러시면 걷지도 못하고 눈도 못 뜨고
내일은 관 안 일 수도 있어요. 사람 마음이
은근 진짜 심장에 가까워서 상처받고 낫는
게 십 년, 이십 년 걸려요. 젊으시고
아름다운 나이인 것 같은 정말 무릇 지켜야
할 것 중에 마음 제일 많이 지키세요.

혼자인게 좋다더니

가족들의 만류에도 불구하고 고집 하나로
자취를 시작했다. 처음엔 부모 곁을 떠난
해방감과 어디서 오는지도 모르는 독립심에
취해 꿋꿋하게 혼자만의 시간을 보내왔지만,
새벽만 되면 드는 허무함과, 끝도 보이지 않는
긴 외로움에 지쳐 잠에 빠지곤 했다. 가끔씩
오는 부모님의 안부 문자에 펑펑 울기도 했던
그 새벽들이 좋기도 싫기도. 다 울고 나선 또
혼자를 고집하게 되는 모순.

summer

작년 여름 혁오 노래는 음원보단 라이브를 듣길 더 선호했고 후덥지근한 밖과 시원한 지하철을 탈 때마다 느껴지는 상쾌함을 즐겼다. 구멍이 뚫릴 듯한 장마 속 낡은 반바지에 축축한 슬리퍼를 저벅저벅 끌고 나와 산책하던 별거 아닌 추억들은 장소뿐만이 기억하겠지. 영원할 것만 같았던 우리의 여름을 !

에피소드

난 그렇게 헤어진것도 책이 쓰여진 운명이라 믿어,
뭐 작가 같은 존재가 우리의 책을 썼다고 생각해봐
지금도 우리가 쌓고 있는 모든일들은 결국 누군가가
이미 적어둔 내용이라니깐.

지금 얘기하고 있는
내용은 물론이거니와 장소와 시간까지 모두 다
쓰여져있는 각본 같은거지. 만나는것도 운명이고
결국 헤어지는 인연들도 그 책에 쓰여진 운명이며 또
헤어지고나서 다시 만날 운명은 아마 뒷 페이지에
다른 에피소드로 쓰여져 있을거야.

넌 아직 거기까지 못 읽은 것 뿐. 우린 우리만의
책속 주인공이자 독자인거야. 그저 누군가가 우리의
책을 써놨다고 상상해봐. 기억하지 못할 정도로
세세한 것들이 아마 그 책이 가득 쓰여져있을거야.

그러니 나중에 우리가 죽는다면 그때 마음 편하게
독자의 입장으로 우리 이야기를 다시 읽어보자고.

트라우마

그렇게 마음을 먹고 나서부터 매일 매일이 죽고
싶어. 하루에도 몇 번을 그렇게 무너지니까 여태
들었던 말들이 마음속 깊이 콱 박혀서 나오지를 않아
미칠 지경이야. 그럴 때마다 제발 누군가가 내 손 좀
잡아줬으면 했다. 사랑했던 모든 것들이 트라우마가
되었다는 게 얼마나 무서운 건지 아니.

23년 여름

잘 지냈는지 묻고 싶은 사람들에게 향한 나의 안부
글. 거진 1년이 다 되어갈 동안 글을 쓰지 않았다.
뭐랄까 취미 하나가 사라졌다고 해야 하나. 예전처럼
절절하게 무엇을 기록하는 것이 귀찮아지고 막상
쓰려 책상에 앉아도 떠오르지 않았다. 음악에 죽고
못 사는 내가 음악도 잘 듣지 않는다. 예전엔
에어팟만 있어도 혼자 그렇게 잘 놀며 공상에 빠지곤
했는데 예전보단 감정이 좀 죽은 듯하다.

예전보다 덜하다. 배가 고파도 먹지 않았고, 자고
싶어도 자지 않았다. 피곤하고 그만두고 싶어도 말을
입 밖으로 내뱉지 못했다. 힘들어도 티를 내지
않았고, 울고 싶을 땐 속으로 우는 법을 배웠다.
요즘은 배가 고프면 먹고, 졸리거나 피곤하지 않아도
잤다. 힘들거나 그만두고 싶으면 그만뒀다.

속으론 우는 것만 변하지 않았다. 최근의 겨울은
여전히 추웠고 바람도 매서웠다. 그래도 겨울이란
계절도 여름 못지않게 정말 로맨틱한 계절이구나

느꼈다. 봄에도 괜찮은 사람들이 생겨났지만 오래 가진 못했다. 그들에겐 이미 나는 거짓투성이였기 때문에. 다이어트를 시작하고 유지한지 1년이 넘었다. 그때랑 지금이랑 체중 변화는 대충 3킬로 정도 너무 찌던지 빠지든지 하지않았다. 이제 개강이다. 남은 1학기만 다니면 이제 나도 졸업이다.

사실 뭐 그렇게 대단한 건 아니지만 4년 동안 공부하며 내게 남은 것이 뭐가 있는지 요즘 생각한다. 열심히 하지 않았다. 그래서 느끼는 게 별로 없나 보다 싶다. 간절하지 않았다. 그래서 핑계들만 늘어놓았다. 무언가 내게 오겠지 하며 기다린 시간이 벌써 몇 개월이나 흘렀다.

다시 머리를 밀고 싶은 감정이 든다. 이것도 자해 중에 하나일까 싶다. 낭만 넘치는 사람이라 주변에게 들었을 땐 마냥 기분이 좋았지만 지금 시점에선 낭만이라는 게 뭘까란 생각이 들었다. 그저 낭만이라는 허구를 나방처럼 쫓다 죽을지도 모르겠다. 그럼에도 정신 못 차리고 낭만 넘치는 사람이 되고 싶다. 이번 여름도 어김없이 다쳤다.

새로운 취미인 풋살을 하다가 어깨 인대 두 곳이 절반 이상 찢어졌다. 지금도 무리하면 왼쪽 어깨가

꽤나 아프다. 그래도 전보단 많이 나아졌다. 여름이 다 가고 있다. 열대야에 숨 못 쉬는 계절이 더이상 아니다. 아쉬운 마음은 여전하다. 사진을 좀 더 많이 찍어놓을 걸 후회한다. 최근엔 회사에 다니면서 생활했다. 그것마저도 솔직히 열심히 하진 않았다.

글을 어떻게 줄여야 할지 모르겠지만 여전히 무엇을 그리워하는지 모르겠는 내 요즘을 방황이라 부르고 싶다.

이 글을 보고 있는 나와 기억이 있는 이들이 있다면 각자 추억하며 묻기로 하고

다들 잘 지내시라.

인사

8월. 습하고 푹푹 찌는 더위에 지쳐 Y와 함께 동네 펍으로 향했다. 나는 피나콜라다, Y는 핑크레이디. 우리는 그렇게 짭조름한 안주와 시시콜콜한 수다를 곁들여, 무더운 여름을 달랬다. 그리곤 더이상 Y를 볼 수 없었다.

J에게2

여태 낭만의 계절은 뭐니 뭐니 해도 여름이라
생각했던 나에게 겨울도 여름 못지않게 로맨틱하고
낭만 있을 수 있구나란 생각을 심게 해준 J야.
앞으로도 우린 별것 아닌것에 울고 별것 아닌것에
아파하겠지만 그럴때마다 우리가 여태 그래왔듯이
청춘을 낭비하고 평생 철들지 말며 투박하고 소소한
위로가 담긴 천박한 말들이나 주고받으며 사는 것이
내 바람이다.

김서림

추운 겨울날 차 안에 그들은 우리 앞에서 다정한 키스를 나눴다. 집으로 돌아가 남들 부럽지 않게 행복한 저녁 식사를 보내기도 했고 예전과 다르게 항상 난방이 나오는 따뜻한 바닥엔 좋은 냄새가 나는 푹신한 이불까지 있어 우리에겐 천국이 따로 없었다. 동생과 나는 간식을 먹고 싶을 때마다 그녀에게 부탁해선 맛있는 라면을 원 없이 먹기도 했었다. 엄마는 낮이건 밤이건 우리와 항상 함께해 줘서 신나고 행복했었던 기억이 있다. 그녀가 단지 우리 엄마가 아니었단 것만 빼고.

엄마

여태 모든 게 다 비정상이었는데

나더러 이제 와선 정상으로 살으래요.

꿈

오늘은 정말 좋은 꿈 꾸었으면 좋겠어.

어디로 가야해 작년 겨울은 너무 추웠어.

이번 겨울도 마찬가지겠지

그러니 우리 이제 여름으로 가자

돌다리 건너 우리로 가자

바다로 가자.

冷

꿈에 상담 선생님께서 정말 잘하고 있다고 격려해 주시며 상담을 끝내도 괜찮을 거 같다 란 말을 하셨는데 난 그게 너무너무 슬퍼서 눈물을 펑펑 흘렸다. 그저 누군가 계속 내 옆에 있어 주었으면 했다. 이별은 역시 무섭고 두렵다.

23년 가을

봄이라곤 조금 애매한 계절이 지나 추위가 가실 때면 겨울엔 초라해 보였던 나무들이 풍성하게 초록빛을 머금고 살아난다. 여름이 다가온 것을 느끼기에 충분하다. 비가 막 그치고 난 후 천천히 지고 있는 보랏빛 노을은 라라랜드가 따로 없다.

밤이 되어도 식지 않은 아스팔트 길을 걷다 도저히 안 되겠기에 들린 펍에선 시원한 에어컨이 틀어져 있었고 정신없이 주문해 들이킨 맥주는 짜릿했다. 하지만 덜컥 발가락을 다치는 바람에 집에서 에어컨이나 쐬고 있는 게 일상이 되어버린 요즘.

오랜만에 나와 바람을 맞고 있으니 여름이 다 가버린 게 조금은 서운한 느낌이라 해야 할까. 한껏 기대한 내 계절이 허무하게 지나가고 있다. 여름을 가장 좋아하는 내가 사랑하는 사람들에게 여름을 어필할 수 있는 아주 좋은 기회라 생각했는데 조금은 아쉽게 됐지만 아쉬운 대로 난 벌써 내년 여름을 기다리는 중이다.

구렁이

이유가 뭔지 어떤 것이 진짜 문제인지 나의 진짜 속마음을 나도 몰라서 조금만 더 조금 더 많이 채찍질을 하는데도 노력하는 만큼 점점 작아지는 나는 나에 대해서 나에 대해서 나에게 나는 나 뱀이 날 잡아먹지 못하게 내 몸집이 더 커졌으면 더 커졌으면.

생화

어쩔 수 없는 상황들에 대한 야속함

winterhate

나중에 시간이 지나서 언젠가 당신도 나를 추억하는
날 이 글을 본다면요 더 이상 바랄 게 없어
겨울을 싫어하는 나는 이상하게도 겨울에 대한
추억들이 많답니다.

부작용

침대에서 폰을 만지고 있었는데 10분쯤 지났을까 폰 베젤이 내 호흡과 같이 숨쉬는 걸 느꼈어. 기분이 이상하긴 했지만 별 대수롭지 않게 여기고 사진탭을 들어가 여태 찍은 사진들을 보고 있었지. 그때 봤던 사진은 밤바다였어. 주황색을 뿜는 가로등 사이에 누군가 낚시에 성공한 모습이 보였지만 얼굴은 선명하지가 않았어. 고기를 낚아 신난 남자 너머 가로등 불빛을 외로이 받고 있는 쇠파이프에 눈이 가더니 몇 초 후에 그 파이프가 날 보란 듯이 자기 몸을 키웠다 줄었다를 반복하더라 그 모습이 어찌나 기괴 하던지 너무나 무섭고 혼란스러웠어. 아무튼, 정신을 차려보니

내가 잡고있는 내 휴대폰의 모양은 어느새
형체도 알아볼 수 없을 정도로 찌그러져
있었고 울퉁불퉁 해져있었다고 해야하나.
너무 무섭고 공포스러웠던 순간 D에게
전화가 와서 다행이었어. 그 친구에게 말하면
정신병자 취급 받을게 뻔하니 말하진
않았지만 그 친구에게 너무 고마운거 있지.
만약 조금만 더 늦었더라면 사진 속으로 빨려
들어갈 뻔했다는게 믿겨 지니 넌 ?

빨간 감기약

아침에 일어나면 항상 집에 아무도 없었다. 세 살 차이나는 동생과 둘 뿐이었고 옷도 입지 않은 채, 집에 널려 있던 성인 비디오를 마치 성처럼 쌓으며 시간을 보내는 것이 일상이었다. 문젠 집에 밥이 항상 없어서 우린 주말을 제외하고 아침 점심을 쫄쫄 굶어야 했다. 당시 우린 요리를 하기엔 아는 것도 없었고 애초에 초등학생도 되지 않았을 때라 엄두도 내지 못했다. 그래서 항상 저녁이 되어 부모님이 오시면 그제야 밥을 먹었다. 언젠 동생과 배가 너무 고파서 냉장고에 있는 딸기 맛 감기약을 나눠 먹기도 하고 그릇에 오로지 달걀만 풀어 전자레인지에 돌려 먹기도 했다. 분명 엄마가 해주던 그대로 했던 것 같은데 맛이 너무 없었던게 기억이 난다. 옆집 가족들이 먹다 남은 짜장 그릇을 들고 입안으로 허겁지겁 집어 넣었던 적도 있었다. 그래서인지 지금까지도 배가 불러도 계속 꾸역 꾸역 밀어 넣는 습관이 남아있다는걸 깨닫곤 너무 슬펐다.

내담자

이제 새로운 장이 열린 거에요. 짧은 시간에 너무 많은 변화를 일으켰어요. 정말 기적이에요. 20년 넘게 많은 사람들을 상담해봤는데 정말 드문 케이스에요. 그러니 자신을 좀 더 인정하고 칭찬해주는 연습을 더 해야해요. 그게 지금 제일 중요하고 필요 한거에요.

노래방

한 여름날 셋이 뭉쳐 합친 돈이 고작 만원
남짓 일 때면 우리는 40분을 걸어 동네에서
가격이 제일 싼 노래방을 갔었다. 한시간에
오천원인 허름한 노래방이었는데 손님이
없는 운이 좋은 날엔 서비스를 몇 시간이고
더 주는 그런 피서지 같은 곳이었다. 땀을
뻘뻘 흘리며 도착한 그곳은 소파도 다
낡아서 멀쩡한 부분이 없었고 담배 찌든
냄새와 바닥엔 이미 노래방을 다녀갔던
무서운 고딩 형들의 가래침이 가득한
그곳에서 우리는 서비스가 끝날 때까지
마이크를 놓지 않았다. 그렇게 정신없이
우리만의 콘서트를 끝내면 아 오늘도 열심히
살았다 라는 말도 안되는 생각이 들었더랬다.

검은 나비

가정형편도 괜찮고 어린놈이 투잡, 쓰리잡 하는걸 보고 정말 열심히 사는구나 했다. 실제로 주변에 좋은 에너지를 많이 풍기는 친구였고 중, 고등학교도 같이 다니며 시간을 많이 보내곤 했는데 졸업 후 성인이 되어서 가끔가다 마주치면 반갑게 인사하곤 했다. 그 후론 SNS로 간간이 너의 근황을 보며 잘 지내고 있구나 싶었는데 지금 난 너의 장례식장을 가고 있다는 것이 실감이 나질 않는다. 나뿐만이 아니라 그 장소에 있는 모든 사람들이 너와 쌓았던 모든 시간이 한순간에 끊어져 버렸다. 너무 허무해 허탈한 웃음을 지으며 나왔다. 그렇게 열심히 산 이유가 뭐였어 ? 살기 너무 퍽퍽했나보다 잘가 그리고 미안해.

라라랜드

역한 기운이 몰려와 매스꺼움이 시작됐다.
내 얼굴 본다고 동네까지 온 D를 보내지도
못한 채 집으로 향하는길에 나에게 쬐는
햇빛은 너무 밝고 뜨겁게 느껴졌고 동시에
호흡도 매우 가빠져왔다. 얼마나 정신이
없었으면 무의식적으로 이를 꽉 문 탓에
지금까지도 어금니가 약간 흔들리고
얼얼하다. 그래도 오늘 정말 깨끗하고
순수한 감정을 느껴 너무 행복했다.

남의 밑 바닥을 사랑한다

남의 밑 바닥을 사랑한다.

난 당신들의 밑 바닥을 사랑한다.

23년 겨울

ADHD가 의심돼서 병원을 가봤더니 2년
전에 의심만 했었던 조울증이 엄청
심해졌대. 조울증이랑 ADHD는 서로
밀접한 관계를 갖고 있다는데.

자기가 봤을 땐 조울증 치료가 먼저래.
그러고 ad 검사하겠대. 조울증은 평생 약을
먹어야 한대. 잠깐 괜찮아지더라도
재발률이 93프로래.

내가 열심히 노력해서 좋아지고 있는 줄
알았지 사실 그건 조울증이 심해지고
있었던 건데 가족 앞에 선 밝게, 애인
앞에선 오락가락하긴 했지만 그게
조울증이라기보단 그저 내가 좋아지고 있는
과정이라 생각했지.

그래서 아프다. 내 마음이 너무 아프다.
우울하다가도 곧 있음 어디서 오는지
모르는 자신감과 행복감에 방방 뛰고
있었던 내가 너무 불쌍하고 가여워서.

그게 다 병인 걸 모르고 있었다. 내가 갖고
있는 병 때문에 내 가족들과 날 만났던
사람들에게 미안해서 마음이 아파.

약을 먹었더니 까슬한 내 베개가 엄청
푹신하게 느껴져서는 현실을 받아들이기
힘들다가도 이것 때문에 기분이 좋은 지금.
어젠 옥상에 올라가서 바닥을 한참 동안
내려봤다.

제가 제일 좋아하는 유니폼을 이제 얼른
팔아야겠다. 음 음. 잠시나마 영원을
느끼고 싶다.

독

그저 확신보다 두려움이 커져버려서 그렇게 했다.

그래서 그렇게 됐다.

열 일곱

단 하나를 지키고자 많은걸 잃어가고 있습니다.

응응

이 개는 물지 않아.

23

아. 건조하고 불안정하고 불완전하다. 요즘
더 그렇게 느끼는 것이 취미 생활을 해도
어디에 쫓기는 사람 마냥 즐겁긴 커녕
초조해. 이 지긋지긋한 불안감은 하여간
어딜 안가고 나만 좋아해 나만. 아무것도
안한 내 양심이 불안해하기를 그렇게나
바라고 좋아한다니까.

사랑해

엄마 나는 예전처럼 다시 돌아가고 있는
것 같아서 두려워요 외로워서 판 땅굴에
내가 갇혀선 무서워서 내일부턴
아무것도 먹지 않으려고요

숨

잘하고 있다니까. 힘들때가 오면은 그저
숨 한번 고르면 돼. 지금보다 더 자신감을
가져도 된다고. 지금 충분히 잘하고 있으니
우리 앞으로도 아프지들 말며 자주는
아니어도 종종 얼굴 보자고 그러니 우리
건배해.

담배

담배 한까치면 털어낼 부스럼이라
생각했는데 한갑을 태워도 간지러움이
가시질 않는다.

그래

좋아 네 말대로 우리 그렇게 하자. 솔직히 얘기하자면 너랑 하룻밤 자는건 그렇게 어렵지 않아. 사실 너보다 내가 더 너랑 자고 싶었을걸. 같이 그렇게 하루를 보내고 앞으로 우린 볼지 안볼지 모르는 불안정한 사이가 될거라는걸 너도 알고 나에게 얘기한걸까 조금 시원섭섭하지만 이게 너에게 할 수 있는 마지막 배려라면 우리 그렇게 하자.

메리크리스마스

메리 크리스마스. 어느덧 겨울이네요.
항상 따뜻하길 기도하고 있어요.
메리 크리스마스. 이번 겨울은 너무
춥고 힘들어요 나아질 거예요.
날이 많이 춥죠. 여름을 좋아하시잖아요.
너무 염려 마세요.
해피 크리스마스. 내년엔 아프지 말자고요.

20년 겨울

내 감정을 글에다 녹이는 것이 쉽지가 않습니다. 나도 모르게 감정에 지배되어 집중 하기가 힘든것인지. 글에 욕심이 생겨 그런것인지. 아니면 그냥 단순하게 생각이 나지 않는 것인지 가늠조차 가지 않습니다. 불안감과 안정감 그 사이, 우울감과 행복감 그 사이, 기대와 실망 그 사이. 이게 나의 요즘이고요.

X

몇몇 값이 나가는 내 옷가지들과 신발들은
처분해서 책상 서랍에 넣어두었습니다.

201031

내가 생각하는게 뭘까. 내가 하고자
하는것들은 무엇이고, 나는 뭘 때문에
망설여하며 걱정과 동시에 설레어 하는가.

grandma

일본여행을 하루 남기고 일주일 동안 많이
걸어다녔으니 마지막 날은 쉬면서 수다나
떠는 것이 어떻겠냐고 D에게 제안했다.
자기도 그게 좋을것 같다며 흔쾌히
승낙하였고, 우린 오후가 될때까지 폰을
붙들고 있었다. 저녁을 대충 먹고 곧바로
다시 누워서 새벽 5시까지 신나게 수다를
떨다 잠에 들었다.

하지만 언제부터 시작됐는지 모를 시끄러운
알람 소리와, 밖에선 직원이 문을 두드리는
소리에 놀라 깼는데 그때 기억으로는
늦어도 9시까진 체크아웃을 해야 했고,
비행기 시간도 10시 쯤으로 기억한다.

그런데 휴대폰을 보니 11시였다. D와 나는

정신 차리고 당장 나가야 하는데 정신은 하나도 없을뿐더러 꿈인지 생시인지 정말 개판이 따로 없었다.

어떻게 저렇게 해서 겨우 공항에 도착했는데 방법이 없었다. 비행기는 떠난지 오래였거니와 더이상 여윳돈도 없었기에 부모님께 연락을 드려 돈을 다시 받아 갈 생각으로 카톡에 들어가 톡을 보낼 생각이였다.

카톡을 들어가자마자 와이파이 렉 때문인지 엄마가 오전 6시에 보냈던 카톡이 도착해있었는데 내용을 보자마자 그 자리에 주저앉아 버렸던 기억이 난다.

“수현아 할머니 돌아가셨어. 원래 어제
아침에 돌아가셨는데 너 여행도 그렇고
정신도 없어서 엄마가 얘길 못했어.”

보이스톡을 걸어 비행기 값을 다시 받고
안양에 있는 장례식장의 주소를 받아,
우여곡절 끝에 도착한게 오후 8시.
장례식장 밖에서 동생을 불렀다. 그때
멀끔한 정장 차림의 동생을 처음 보았다.
서로 아무 말 없이 담배만 피웠다.
들어가기 싫었다. 할머니의 죽음을
인정하기 싫었다.

얼른 들어오라는 엄마의 말을 듣고 겨우
들어가자마자 할머니의 영정사진을 보았다.
피곤해서인지, 할머니가 돌아가신걸 직접
보지 못해 실감이 안나서인지 눈물이
나오질 않았다. 내가 제일 사랑하고 아끼는
사람이 세상을 떠났는데도.

툭하면 눈물 흘렸던 내가 그날만은 눈물이
나오질 않았다. 할머니께 드리고 싶은 말
있으면 해드리라고 말씀 하셨는데 많은
말을 하고 싶었지만 왜인지 머리가 하얘져
아무 생각이 들지 않았다.

너무 늦게와서 죄송하다, 우리 엄마
낳아주셔서 감사하고 거기선
고생하시지말고 잘 사셔라. 할머니께 절
드렸다. 그 후 4년이란 시간이 지났다.
아직도 종종 우리 가족은 저녁에 술을
마실때 서로 갖고 있는 할머니와의
추억들을 주고받는다.

그럴 때 마다 우리는 아직 많이 아파하며,
그리워하고 있구나 싶었다. 정말 시간이
지나면 지날수록 그리움이 점점 더
짙어지는 내 인생에 둘도 없던 할머니란
천사가 너무나도 보고 싶다.

다 데려와서

다 데려오는거다. 강릉같이 눈앞에 푸른
바다가 있는 곳에 내가 좋아하는 사람들을
한곳에 모아놓고 술과 맥주 몇짝 씩 놔.
내가 좋아하는 사람들은 다 좋은
사람들이니, 서로가 잘 어울릴테니
걱정하지 않을거야. 그리고 우린 하루종일
퍼 마시며 노는거지. 얼마나 설레 ?

서야

매일같이 독서실에서 공부는 안하고 골목
구석에서 담배만 신나게 피우다
헤어졌었지. 집에서 술을 왕창 마시며
논적도 많았고. 드러운꼴 참 많이봤는데
그치. 또 어쩔 땐 남자답고 터프한 너의
모습이 나에겐 새로운 자극과 위로가
되어주었던 적도 있었어. 벌써 몇 년전
이야기인지 아득하고 아련하다. 앞으로도
좋은 사람이 되어주길 바라. 결혼 축하해.

무기력증

어떤일에 대해서 과하게 생각하고 그
생각들이 부정적으로 변해서 행동을
제어하는 느낌이 너무 끔찍하다. 다른
사람들이 나를 보았을때 얼마나 한심하게
느낄지 다 알면서도 삶의 변화를 주는것이
너무 두렵고, 힘들어서 그냥 그대로
가라앉게 자신을 내버려두는. 주변
사람들에게도 무기력함을 전염 시키는 것
같은. 내가 나를 봤을 때 아무 의욕 없이
무표정이고 정적인 악취뿐인 그런
내 자신은.

햄버거

늦은 오후에 일어나 담배 한 대 태우며
뉴스를 보다, 정신이 들면 어제 먹었던
반찬들을 내어 끼니를 때운다. 그렇게
시간이 지나 저녁이 되면 어머니 몰래
어디서 혼자 한잔하시고 눈이 시뻘건채로
들어오시는 아버지를 맞는다. 아버진
동생과 나를 먹이려고 적어도 일주일에 두
번 정도는 햄버거를 사오신다. 술 좀
적당히 마시라는 그녀의 잔소리를 묵묵히
듣고, 자괴감과 죄책감이라는 것을 꼭꼭
씹으며 가족끼리 저녁 식사를 하곤 했다.

맺은말

직접 책을 만들어보니 새삼 작가분들이 얼마나
고생하시는지 1퍼센트 정도는 알 것 같습니다.
아무튼 전 열여덟 살 때부터 글로 내 마음을
녹여왔습니다. 나에게 찾아온 감정이 무엇인지 몰라
혼란스러워했던 소년 시절의 저부터 조금은 더
성숙해진 저까지 삶을 어떻게 대하고 있는지 또,
어떻게 생각하고 있는지에 대해 책을 엮으며
되돌아보는 좋은 경험이 되었습니다. 사실 어떻게
보면 이건 내 유서의 일부분 일 수도 있겠습니다.
하지만 나에겐 아팠던 지나간 시간과 문장들이
여러분에겐 위로가 되어준다면 더할 나위
없겠습니다. 10년 전이나 지금이나 내가 아픈건
똑같지만 이 책을 보는 당신들과 나의 내일은 조금
더 행복하길 바라겠습니다. 지금까지 숨을 쉬게 해준
내 주변 사람들에게 항상 감사합니다.

2024년 1월 여전히 겨울이 싫은 김수현